Lili et le Sorcier Détraqué!

texte de Judy Fitzpatrick
illustrations de Don Hatcher
texte français du Groupe Syntagme inc.

Les éditions Scholastic

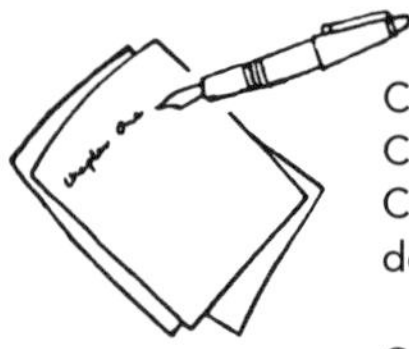

Texte original publié par Omnibus Books, de
SCHOLASTIC GROUP, Sydney, Australie.

Données de catalogage avant publication de la Bibliothèque nationale du Canada

Fitzpatrick, Judy
Lili et le sorcier détraqué

(Petit roman)
Traduction de: Lily and the Wizard Wackoo.
Pour enfants de 6 à 8 ans.
ISBN 0-439-98890-X

I. Hatcher, Don II. Groupe Syntagme Inc. III. Titre.
IV. Collection: Petit roman (Markham, Ont.)

PZ23.F399Li 2001 j823 C2001-901485-6

Édition publiée par les Éditions Scholastic, 604, rue King Ouest, Toronto (Ontario) M5V 1E1 CANADA.

6 5 4 3 Imprimé au Canada 06 07 08 09

Pour les garçons de Wyvern House – J.F.

Pour la magique petite Matilda – D.H.

Chapitre 1

Dans un pays très, très éloigné, sur la rive d'un lac, se dresse un château de vieilles pierres froides. Dans ce château vivent un roi, une reine et leurs trois charmantes filles.

La princesse Lucie chante comme un ange.

La princesse Émilie joue gracieusement de la flûte.

Et la princesse Lili fait de la magie.

Tout le monde adore entendre Lucie chanter et Émilie jouer de la flûte.

Mais personne n'aime la magie de Lili.

Elle fait apparaître des palmes plutôt que des pantoufles.

Elle fait apparaître un serpent plutôt qu'un paon.

La magie de Lili agace vraiment ses sœurs.

— Tu es une vraie petite PESTE! s'écrie Émilie.

— Tes tours de magie ne fonctionnent jamais! s'exclame Lucie.

— Il te faut un professeur de magie, déclare le roi.

— Quelle bonne idée! s'exclame la reine, en retirant des morceaux de jambon de la tarte au citron que Lili vient de faire.

À ce moment précis, les portes du château s'ouvrent toutes grandes. Sur le seuil se tient un très vieux sorcier.

Chapitre 2

— Je veux que vos filles jouent de la musique à ma fête d'anniversaire, dit le sorcier au roi. J'ai invité quelques amis dans ma grotte. Je suis le Sorcier Détraqué.

— Détra-quoi? demande le roi.

— Non, pas Détraquoi, répond le sorcier, Dé... Oh, mon Dieu, j'ai oublié mon nom, maintenant!

— Vous avez dit Détraqué, réplique Lili.

— Qui es-tu, toi? lui demande le Sorcier, l'air contrarié.

— C'est une petite peste qui a besoin de leçons de magie, hurle Émilie.

— C'est ça, emmenez-la avec vous, s'écrie Lucie.

— Ce n'est pas elle que je veux, c'est vous, réplique le Sorcier en pointant un long doigt maigre vers Lucie et Émilie.

—Comment iront-elles à votre fête? demande Lili.

— En taxi-dragon, évidemment, répond le Sorcier. J'en ai un qui attend à l'extérieur. Il peut se déplacer plus vite que la lumière, ou le son, ou quelque chose comme ça. Je ne sais plus.

— Comment s'appelle le dragon? demande Lili.

— Laisse-moi réfléchir. Le Sorcier Détraqué se gratte la tête. Ça commence par D. Il s'appelle Denis. Non, non. C'est plutôt Daniel.

Par la fenêtre, Lili peut voir le dragon. Il est en train de souffler son nom en grosses lettres de fumée au-dessus de sa tête.

Chapitre 3

— Il s'appelle Donald, dit Lili. Vous voulez emmener mes sœurs sur un dragon qui s'appelle Donald.

— Lili! s'écrient ses sœurs. Tais-toi donc! On ne veut pas aller jouer de la musique à sa fête de vieux puants.

Le Sorcier bout de rage.

— De vieux puants? Comment osez-vous!

Son visage devient violet, et il s'écrie :

« Ô vent sifflant

Qui chantonne et tourbillonne,

Soulève et emporte ces polissonnes! »

Un tourbillon traverse la pièce en sifflant. Avant que personne ne puisse réagir, il soulève Lucie et Émilie et les laisse tomber sur le dos du taxi-dragon.

Le Sorcier sourit.

— Mon sort a fonctionné! Hip, hip, hip, hourra! Je ne suis pas encore gaga!

Il se tourne vers le roi et la reine :

— Je vais ramener vos filles quand la fête sera finie.

— Ça veut dire quand? s'écrie la reine.

— Oh, dans environ cent ans, répond le Sorcier.

Il saute sur son taxi-dragon et file comme une comète dans le ciel.

Chapitre 4

Le roi et la reine sont bouleversés.

— Comment pouvons-nous faire revenir nos filles? gémit le roi.

— Où sont-elles passées? sanglote la reine.

Lili fixe les montagnes au loin. De petites bouffées de fumée grise s'élèvent au-dessus d'elles. En plissant les yeux, elle peut lire les mots que forme la fumée :

Taxi-dragon Donald
Appelez au 0000

— Voilà où elles sont, se dit Lili.

Elle compose le 0000, et Donald apparaît aussitôt.

— Je sais ce que tu veux, dit-il. Le Sorcier ne sera pas content. Mais je vais t'emmener là-bas, puis te ramener ici, à condition que tu puisses sortir de la grotte. Ce Sorcier est peut-être vieux et puant, mais ses pouvoirs magiques sont encore très puissants.

— Tu ne connais pas encore mes pouvoirs magiques, réplique Lili en sautant à bord.

Chapitre 5

Donald dépose Lili juste à l'extérieur de la grotte du Sorcier Détraqué.

— Je vais t'attendre ici, dit-il. Sois prudente!

Lili entre sur la pointe des pieds dans la grotte sombre. Des chauves-souris lui effleurent la tête. Une odeur de pourriture la fait grimacer.

Elle entend le sorcier qui dit :

— Je dois servir un repas extraordinaire pour ma fête d'anniversaire. J'espère réussir cette recette. Je ne dois pas oublier les yeux de chouette. Ou les yeux d'aigle?

Lili s'avance bravement.

— Où sont mes sœurs? demande-t-elle. Je suis venue à leur secours.

Le Sorcier éclate de rire.

— Elles ne sont pas ici, petite peste, répond-il. Elles sont à la colline magique, très loin d'ici. Alors, comment penses-tu les sauver?

— Je ne sais pas, dit Lili. J'ai du mal à me rappeler mes formules magiques. Je suppose qu'un grand Sorcier comme vous ne les oublie jamais.

— Jamais, réplique fièrement le Sorcier.

— Alors, vous vous rappelez de la formule pour faire revenir mes sœurs et les libérer? demande Lili.

— Bien sûr, répond le Sorcier. La voici :

« Vent, sois calme, sois chic,

Libère ces filles de la colline magique.

Soulève Émilie et sa sœur Lucie

Et ramène-les bien vite ici. »

Chapitre 6

En l'espace d'une seconde, Lucie et Émilie atterrissent devant eux. Elles ont l'air tout perdu.

— Bravo! dit Lili au Sorcier. Vous êtes vraiment très habile, vous!

Le Sorcier se flatte la barbe.

— Tu peux le dire, réplique-t-il.

— J'ai entendu parler d'un sort qui transforme les sorciers en fées, dit Lili. Le connaissez-vous?

— Certainement, répond le Sorcier Détraqué.

« Fais-moi scintiller, donne-moi des ailes.

Donne-moi des choses brillantes et belles.

Réduis-moi, rends-moi tout petit.

Si petit que je passerai pour une souris. »

Tout en rapetissant, il fusille Lili du regard.

— Tu m'as bien eu! s'écrie-t-il. Je ne sais plus comment redevenir un sorcier!

Chapitre 7

Lucie et Émilie se jettent sur Lili pour la serrer dans leurs bras.

— Tu es une petite peste vraiment brillante! s'exclament-elles.

Lili baisse la tête et regarde la minuscule fée qui sautille en poussant de petits cris aigus.

— Je vais vous ramener avec nous si vous me promettez de m'enseigner tous vos trucs de magie, dit-elle.

La fée hoche la tête.

— Je te le promets.

— Vous pourrez me montrer comment vous transformer de nouveau en sorcier, dit Lili. Mais jusque-là, vous devez être une bonne fée.

En un rien de temps, Donald les ramène tous au château. Le roi et la reine sont très heureux de les revoir.

— J'ai promis au Sorcier Détraqué qu'il pourrait rester avec nous s'il m'enseigne la magie, leur annonce Lili.

— Très bien, réplique le roi. J'aime les sorciers utiles.

— Moi aussi, je peux être utile, déclare Donald. Je peux vous emmener faire vos courses. Et je peux réchauffer ce château glacé d'un simple souffle de mon haleine brûlante.

— Quelle bonne idée ! s'exclame la reine.

Et tous vécurent heureux durant très, très longtemps.

Judy Fitzpatrick

Quand j'étais petite, j'aimais lire, chanter et jouer dans des pièces de théâtre. Je viens d'une famille de six enfants. Nous montions nos propres pièces de théâtre dans la cour arrière, et nous demandions aux autres enfants d'y assister. Nous inventions des histoires de magie, de sorciers et de sorcières, de rois et de reines. Je crois que c'est comme ça que j'ai appris à me servir de mon imagination.

J'ai beaucoup aimé écrire cette histoire, parce que, comme Lili, j'étais la plus jeune de trois filles. Les grandes sœurs considèrent souvent leur petite sœur comme une peste. Mais, parfois, les petites sœurs peuvent être très utiles — tout comme Lili.

Don Hatcher

Quand j'ai commencé à faire les dessins de ce livre, je me disais à quel point il serait fascinant d'être un sorcier. Je pourrais dire une formule magique et avoir tout le temps des crayons aiguisés. Mes doigts ne seraient jamais tachés d'encre. Et mon vélo grimperait tout seul de hautes collines!

Par contre, je suis certain que, comme le Sorcier Détraqué, j'oublierais mes formules magiques. Ou peut-être que je ressemblerais à Lili. Je transformerais mes crayons en harpons, mon encre en ancre, et ma bicyclette en brouette!

À bien y penser, il est préférable que je gribouille des dessins et que je laisse la magie aux sorciers !

As-tu lu ces petits romans?

- ☐ Attention, Simon!
- ☐ La Beignemobile
- ☐ Éric Épic le Magnifique
- ☐ Follet le furet
- ☐ Une faim d'éléphant
- ☐ Un hibou bien chouette
- ☐ Isabelle a la varicelle!
- ☐ Jolies p'tites bêtes!
- ☐ Je veux des boucles d'oreilles
- ☐ Julien, gardien de chien
- ☐ Une journée à la gomme
- ☐ Marcel Coquerelle
- ☐ Meilleures amies
- ☐ Mimi au milieu
- ☐ Pareils, pas pareils
- ☐ Parlez-moi!
- ☐ Quel dégât, Sun Yu!
- ☐ Quelle histoire!
- ☐ La rivière au trésor